À Karl, mon très cher ami.
P. B.

© Éditions du Seuil, 2016
25 bd Romain-Rolland, 75014 Paris
ISBN: 979-10-235-0521-4
Dépôt légal: juin 2016 - Tirage n° 1
Loi 49-956 du 16 juillet 1949
sur les publications destinées à la jeunesse
Tous droits de reproduction réservés
Photogravure: IGS-CP (16)
Achevé d'imprimer en avril 2016
sur les presses de l'imprimerie Pollina
Dépôt légal: mai 2016
Imprimé en France

L'oiseau

Paule Battault   Marie Caillou

SEUIL
jeunesse

Pour Orion Skywalker.
M. C.

Le jour où j'ai découvert l'oiseau,
c'était les vacances d'été et je jouais
dans mon jardin. J'avais 7 ans et toutes
mes dents, comme disait grand-père.

Quand j'étais bébé, il m'appelait Kaki, parce que, comme
le fruit, j'étais à croquer. Et depuis, c'est resté. Tout le monde
m'appelle ainsi, sauf mon père, qui préfère m'appeler Aki.

C'est mon prénom. On le donne
aux enfants nés en automne,
comme moi.

En découvrant l'oiseau,
je me suis dit qu'il avait
dû tomber de son nid.
« Ta maman est partie ? »
lui ai-je demandé
en gazouillant.

Dans une boîte à biscuits,
je lui ai fabriqué un nid douille

Coton

Boîte à biscu

Ensuite j'ai fait
de la super bouillie.

Champignons cuits

Lait de soja

Riz

J'ai versé de l'eau
dans mon bol préféré
celui avec mon préno
pour faire une piscine

Après ça, j'ai décidé
que je serai sa nouve
maman.

Mais j'étais une maman inquiète et je me demandais pourquoi l'oiseau
ne cherchait pas à s'envoler. Il restait dans sa boîte, sans bouger.
Et puis, il ne mangeait rien… Les soucis commençaient !

Je devais m'adresser à un spécialiste. Papa a posé le livre qu'il feuilletait et m'a suivie dans le jardin.

C'est une hirondelle!

Il a vite reconnu à quelle espèce l'oiseau appartenait.

Ensuite papa m'a montré comment lui donner la becquée. « Elle va ador[...] a-t-il dit en sortant un steak haché du réfrigérateur.

Adieu super bouillie de luxe...

Il a arraché des petits bouts de viande qu'il a fourrés, un par un, dans le bec de l'oiseau. Berk.

« Pourquoi tu lui donnes de la viande ? ai-je demandé à papa.
– C'est un insectivore. Comme on n'a pas d'insectes, je lui donne du steak ! »

J'ai tout jeté dans les buissons.

Papa m'a conseillé de laisser l'oiseau se reposer.
Nous sommes alors partis à la recherche
de l'encyclopédie des oiseaux migrateurs.
Elle devait être quelque part dans la bibliothèque.

Papa m'en a lu un passage juste avant l'heure des dents et au lit !
« Les hirondelles dorment même en volant. Elles ne se posent
que pour couver. Elles nichent dans les toits des maisons
et réutilisent leur nid chaque année… »
J'étais fascinée. Je savais que les chevaux dormaient debout,
mais j'ignorais qu'on puisse dormir en volant !

Le lendemain, je me suis précipitée dans le jardin.
« Pourvu que l'oiseau ne se soit pas envolé durant la nuit ! »

Ouf ! Il était encore là, perché
sur le rebord de sa boîte.

Un matin, l'oiseau s'est mis à battre des ailes très fort. On aurait dit qu'il essayait de s'envoler.

Je l'ai pris et je l'ai posé sur la table, à côté de papa qui prenait son petit déjeuner.

« Ton oiseau bat des ailes pour les muscler, m'a-t-il expliqué. Un long voyage l'attend… »

«Il va aller où ? ai-je demandé, déçue.

– Les hirondelles passent la moitié de l'année dans le Sud.
À la fin de l'été, elles s'envolent pour l'Indonésie, l'Australie…
Là-bas, il ne fait pas froid. Elles reviennent ensuite pour nicher
au printemps. »

Le jour suivant et le jour d'après, l'oiseau était toujours là.
Au bout d'une semaine, il sautait dans ma main
et se perchait sur mon épaule.
Peut-être allait-il rester avec moi finalement ?

La fin des vacances chez papa approchait.
Je craignais la réaction de maman.
Et si elle n'en voulait pas à l'appartement ?

Par un bel après-midi ensoleillé, alors que je jouais dans l'impasse
avec les copains du quartier, je me suis vantée d'avoir un oiseau apprivoisé.

Personne ne m'a crue.

Alors je suis allée le chercher. Des grands
qui jouaient au baseball se sont rassemblés
autour de moi et de l'oiseau. Quel succès !

L'oiseau avait peur, je le sentais.
Mais j'ai laissé celui qui s'appelle Ichiro le prendre dans ses mains.

Il ne le tenait pas bien. « Ton oiseau veut me pincer avec son bec »,
m'a-t-il dit, pas très rassuré.

J'ai voulu le reprendre. J'avais peur qu'il lui fasse mal.

J'étais furieuse. Ichiro et ses copains m'empêchaient de l'approcher.
L'un d'eux me tirait par le col. Une vraie brute !

Soudain, quelqu'un a crié :
« L'oiseau ! Il s'est envolé ! »

J'ai levé les yeux,
le souffle coupé.

Le ciel était vide, plus rien ne comptait.
Les garçons me regardaient, honteux.
« Il va revenir », m'a murmuré Ichiro
avant de s'en aller. Comme les autres.

J'ai eu l'impression que le temps s'arrêtait.
Je n'osais pas rentrer chez moi.
Je voulais être là au cas où l'oiseau revenait.
« Et s'il s'était réfugié dans sa boîte à biscuits ?
me suis-je demandé. Il a eu si peur… »

Folle d'espoir, je me suis précipitée dans mon jardin.

Je ne le reverrai jamais...

Mais l'oiseau n'était pas dans sa boîte.
Les larmes me montaient aux yeux
quand j'ai entendu maman.
Depuis combien de temps était-elle là ?

Qu'est-ce qui ne va pas, mon Kaki ?

J'ai laissé les garçons l'effrayer.

« Mon oiseau s'est envolé, lui ai-je expliqué.
Et maintenant il est peut-être en danger.
C'est ma faute.

– Et moi, je suis sûre
qu'il a retrouvé sa famille,
m'a-t-elle dit. Et c'est
grâce à toi. »
Elle avait sans doute
raison, mais j'étais triste
quand même.

Papa avait préparé mon sac.
Les vacances étaient terminées.
«Bonne rentrée, ma chérie.
Regarde dans la poche avant,
il y a quelque chose pour toi. »

Merci
papa !

C'était un pendentif en forme d'hirondelle.

J'ai grimpé derrière elle et nous sommes parties.
Au bout de l'impasse, elle a tourné à droite et la maison a disparu.

Maman pédalait paisiblement. L'air était frais.
Bientôt ce serait mon anniversaire.
C'est alors qu'une nuée d'hirondelles a envahi
le ciel et le silence de ses cris stridents.

On s'est arrêtées un moment pour les regarder.
Elles étaient des milliers !

Puis, plus rien. Les oiseaux avaient disparu.
Peut-être étaient-ils en route pour l'Australie?
Je suis remontée sur le porte-bagages,
maman m'a souri et nous sommes rentrées
à son nouvel appartement.

Le ciel était à nouveau calme…
jusqu'au prochain printemps.